BOSC

Túnel dels arbres

Mapa del viatge
pel riu amb
el Ratolí

Salzes
podats

Caseta del riu

Prat

Cau
del salze

Caseta del guarda
de la resclosa

POBLE

Casa
flotant

Pont

Cafè

Resclosa

Botigues

Barcassa

Cabana
de l'arbre

Campament
de l'illa

Llera de joncs

Caseta
de la platja

Estuari

Far

Platja

MAR

El gran viatge pel riu amb el Ratolí

ALICE MELVIN

Text de William Snow

*Per a Florence i Hannah,
amb amor de la mama i el papa.*

Primera edició en català: març de 2024

Traduït per Maria Bertran

Títol original: *Mouse on the River. A Journey Through Nature*
Publicat per primera vegada al Regne Unit
per Thames & Hudson Ltd. el 2024

© Del text: William Snow, 2024
© De les il·lustracions: Alice Melvin, 2024
© D'aquesta edició: Baula, 2024

ISBN: 978-84-479-5162-8
DL B 18794-2023

Imprès a la Xina

MIXT
Paper | Donant suport
a la silvicultura responsable
FSC
www.fsc.org
FSC® C008047

BAULA

Amb la primera llum del matí,
pujo a la barca decidit.
Els meus amics són aquí.
«Bon viatge!», m'han dit.

Remo a favor del riu
i la barca avança sota els arbres.
Els ocells canten una alegre melodia d'estiu
i la brisa fa remoure les branques.

A la vora hi ha infants que juguen
i, en veure'm passar, s'aturen.
«D'on vens?», els uns demanen.
«On aniràs?», els altres pregunten.

Un cop el pont he creuat,
he deixat el meu bosc enrere.
I aleshores he pensat:
«Un món nou m'espera!».

A poc a poc avança el viatge,
i a la riba tot és molt animat.
Les cases formen un nou paisatge,
i el bosc que conec enrere ha quedat.

A primera hora de la tarda,
al poble he arribat.
El guarda ha obert la resclosa
i el nivell de l'aigua ha baixat.

Amarro la barca al costat
d'una botiga de mil colors
i compro alguna cosa per menjar.

El poble és ple de sons i d'olors,
i qualsevol cosa em fa badar.

A hora foscant
deixo el poble tot remant.
Ha estat començar-me a moure
i posar-se a ploure.

He trobat una petita illa
per aturar-me i fer nit.
Acotxat dins la meva barca,
de seguida m'he adormit.

Reprenc el viatge a trenc d'alba;
el corrent em porta suaument.
Al meu voltant tot està en calma
i el sol desfà la boirina lentament.

Les gavines sobrevolen la barca
i el riu cada vegada és més ample.
Noto la sal a l'aire
i el bressol de la marea.

Arribo a la desembocadura
i al final de la meva aventura.

A la platja deixo la barca aturada
i el meu amic em dona la benvinguda.

Riu avall

En aquest conte acompanyem el Ratolí riu avall des de casa seva, al bosc, fins a la desembocadura, al mar. Aquí teniu algunes de les coses que apareixen a les pàgines d'aquest llibre. Si mai aneu al riu, també les podeu trobar.

gavià argentat

ànega i aneguets

equip d'observació

EL RIU

L'aigua de la pluja, les deus i els rierols s'uneix per formar els rius. El riu canvia segons el paisatge que creua a mesura que s'acosta a la desembocadura, al mar. A cada tram del riu, hi viuen uns animals o plantes diferents; així doncs, si passegeu pel riu, hi trobareu moltes sorpreses.

EXPLORAR EL RIU

Què me'n dieu d'explorar una mica el riu? Busqueu un tros profund amb el fons de còdols. Per evitar ensurts, aneu sempre acompanyats d'un adult! Col·loqueu un salabret o tamís a l'aigua, contra corrent i, un cop tret de l'aigua, buideu el contingut en una safata per veure què hi heu trobat. Recordeu de ser curosos amb l'entorn i de retornar-ho tot al riu després d'haver-ho observat.

castor

barbs roigs

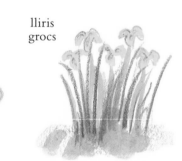

lliris grocs

joncs

PEIXOS

Als rius hi viuen una gran varietat de peixos, des del barb cua-roig al lluç de riu. El tipus de peix variarà segons com sigui el riu. Alguns peixos, com les truites, necessiten corrents forts i un fons pedregós, d'altres, com la madrilleta vera es poden trobar en corrents tranquils.

PLANTES

Estigueu atents per si veieu les flors de colors brillants, com el lliri groc, les tiges altes dels joncs i les amples fulles de la barretera. En un riu de corrent suau, hi podeu trobar herbassars aquàtics amb espècies de potamogètons o d'antocerotes. Les flors i les fulles dels nenúfars grocs suren en l'aigua. La molsa, l'herba fetgera i les falgueres formen una catifa amb diverses tonalitats de verd a la riba del riu.

madrilleta vera

lluç de riu

herba aquàtica

nenúfar

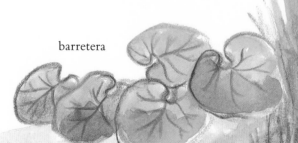

barretera

ESTUARIS

El tram final d'un riu en arribar al mar i eixamplar-se s'anomena estuari. L'aigua dolça de riu i la salada del mar es barregen i el nivell de l'aigua puja i baixa amb les marees. En alguns s'hi pot distingir la garsa de mar i el seu bec ataronjat, les ales grosses del corb marí o observar el vol de les gavines.

garsa de mar

escarabat

corb marí

CANYISSARS

Al voltant de la riba del riu i als seus estuaris és habitual de trobar-hi joncs i canyes. Els canyissars poden arribar a fer uns dos metres d'alçària i formar boscos espessos entre l'aigua. Alguns ocells força discrets hi fan el niu, com per exemple el bitó, que es mou sigil·losament, però, en canvi, a la primavera el seu crit es pot sentir a un quilòmetre de distància. La boscarla dels joncs fa el seu niu suspès entre els joncs.

la boscarla dels joncs i el seu niu

bitó comú

la llúdria i les seves petjades

INSECTES

En un dia calorós d'estiu, és fàcil veure espiadimonis que sobrevolen l'aigua a la recerca de menjar. En rius d'aigües tranquil·les, s'hi poden veure escarabats d'aigua i sabaters caminant per la superfície de l'aigua.

espiadimonis

MAMÍFERS

Molts mamífers s'acosten al riu per beure i trobar menjar, però n'hi ha d'altres que viuen a l'aigua, com per exemple les llúdries, que són nedadores excel·lents. Són difícils de veure, però potser podreu trobar les seves petjades de cinc dits. Els castors construeixen les seves preses i, d'aquesta manera, ajuden a donar forma al riu. Les rates d'aigua no s'han de confondre amb les rates comunes. La d'aigua té el cos allargat, amb orelles que sobresurten poc i té les potes curtes.

rata d'aigua

fotja

polla d'aigua

blauet

branca de vern

salze podat

OCELLS

Als rius, és habitual de veure-hi ànecs collverds, polles d'aigua i fotges. El blauet és més difícil de veure, s'amaga entre les branques o bé se submergeix, veloç, com una espurna blava. El bernat pescaire és un ocell gros i molt pacient que espera entre les ombres l'oportunitat d'enxampar la presa. També s'hi poden veure una gran quantitat d'ocells petits, com la cuereta o el cap fosc de la mallerenga capnegra.

ARBRES

Per a molts animals que viuen a la vora d'un riu, els arbres són el seu refugi. A més a més, l'ombra manté l'aigua fresca. Les seves arrels gruixudes ajuden a mantenir les fronteres del riu. Arbres com el vern, el salze o el bedoll creixen en terres humits. Els salzes creixen molt de pressa i es poden sovint perquè en neixin noves branques. Amb les branques podades, se'n fan cistells o tanques.

bernat pescaire

mallerenga capnegra

cistells

cuereta

branca de salze

L'equipatge del Ratolí

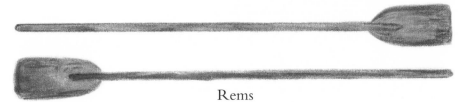

Rems

Pals flexibles per plantar la tenda

Àncora

Impermeable

Corda

Barret impermeable

Tenda de campanya

Manta

Coixí

Cubell

Llibre

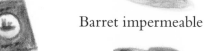

Botes d'aigua

Motxilla

Cistell

Fanalet

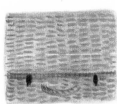

Cistell de pícnic

Pala

Cordill

Mocador de coll

Pijama

Barret de palla

Sabatilles de platja

Banyador

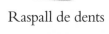

Raspall de dents

Paella

Llumins

Menjar

Bullidor d'aigua

Tassa

Roba

Tovallola

Te

Navalla

Plat

Coberts

Obsequi